Dlaczego oczy kota świecą w nocy?

Dorota Sumińska

Dlaczego oczy kota świecą w nocy?

I inne sekrety świata zwierząt

Ilustracje Joanna Żero

Wydawnictwo Literackie

Po co?
Kto?
Co to?
Czy?
Skąd?
Dlaczego?
Kiedy?
Ile?

Ile kropek ma biedronka?

Wszystko zależy od tego, jaka to biedronka. Rodzina biedronkowatych jest bardzo liczna. W naszych stronach żyje prawie sto gatunków biedronek. Najbardziej znana jest siedmiokropka i jak z nazwy wynika, ma siedem kropek na czerwonych pokrywach skrzydłowych. Czerwonka trzynastokropka ma trzynaście czarnych plamek, a największa – oczatka ma czarne plamki otoczone żółtą obwódką. Gielas dziesięcioplamek ma dziesięć, ale żółtych kropek. Nie wszystkie biedronki są czerwone. Biedronka mączniakówka ma dwadzieścia dwie czarne kropki na żółtym tle, a wrzeciążka jest w żółto-czarną pepitkę. Takie jaskrawe, widoczne z daleka ubarwienie jest zazwyczaj ostrzeżeniem dla drapieżników: jestem niesmaczny albo jadowity.

Dlaczego małe kurczaczki są żółte?

Nie wszystkie. Zdarzają się też prawie białe, albo żółto-brązowe. Jedne i drugie nie mają koloru dorosłej kury. To bardzo

ważne, aby dzieci różniły się od dorosłych. Mają wyglądać niewinnie i wzbudzać opiekuńcze uczucia. Dzięki temu dorosłe zwierzęta i dorośli ludzie wiedzą od razu, że mają do czynienia z maluchem. Co najważniejsze – budzi to w nich, a przynajmniej powinno budzić, same dobre uczucia.

Dlaczego psy wąchają się pod ogonem?

Psy są węchowcami, a my wzrokowcami. Znaczy to tyle, że ich świat zbudowany jest przede wszystkim z zapachów, a nasz z obrazów. Jeśli policjant chce się dowiedzieć, kim jesteś, prosi o dowód osobisty. Patrzy na zdjęcie i czyta nazwisko. Psi dowód osobisty to jego zapach. Najintensywniejszy jest pod ogonem. Tam są gruczoły okołoodbytowe, a ich zapach to podpis w dowodzie. Zapach moczu, czyli siusków, to zdjęcie z dowodu. Mówi o tym, czy to pies, czy suczka, a nawet więcej: określa wiek i stan uczuć.

Dlaczego ryba nie topi się w wodzie?

Ryba oddycha tlenem rozpuszczonym w wodzie. Ty oddychasz płucami, a ona skrzelami. Płuca to takie worki wypełnione niezliczoną ilością malutkich pęcherzyków, w których tlen z powietrza wnika do krwi. W skrzelach tlen wnika do krwi wprost z wody, która obmywa silnie ukrwione blaszki skrzeli. Ty masz płuca w klatce piersiowej, a ryba skrzela w komorach skrzelowych po bokach głowy. Ty wciągasz powietrze przez nos i usta, a nos ryby służy tylko do wąchania, więc wciąga ona wodę pyszczkiem. Wypuszcza wciągniętą wodę skrzelami, a ty powietrze nosem i ustami.

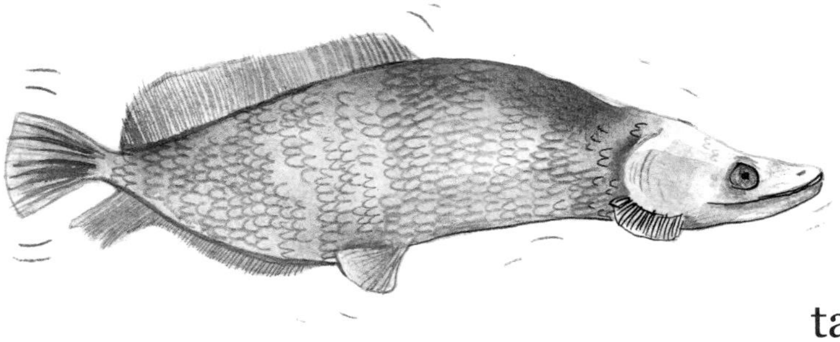

A czy wiesz, że są takie ryby, które nie umieją zasysać wody i aby przepływała przez skrzela, muszą być w ciągłym ruchu? To między innymi rekiny. Ale mam dla ciebie niespodziankę. W wielkiej rzece Amazonce żyje ryba, która oddycha powietrzem. To największa słodkowodna

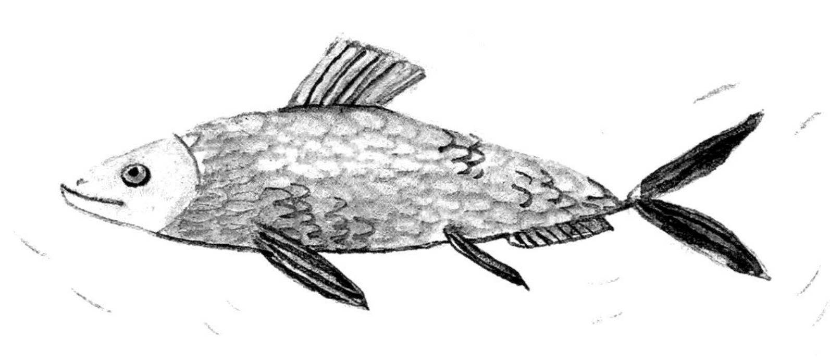

ryba – arapaima. Ma jedno płuco i musi wynurzać się z wody, aby zaczerpnąć powietrza.

Dlaczego kot lubi ryby?

Nie tylko kot lubi ryby. Wiele innych zwierząt, z człowiekiem włącznie, też zjada ryby z apetytem. Kot jest drapieżnikiem, poluje na całą rzeszę niewielkich istot. Jeśli trafi się ryba, zje ją bardzo chętnie.

A czy wiesz, że z Turcji pochodzi kot – turecki van, który aby łapać ryby, polubił wodę i bardzo chętnie pływa?

A dlaczego koty boją się wody?

Większość rzeczywiście unika wody, przede wszystkim koty domowe. Ich futerko nie zabezpiecza przed przemoknięciem do suchej nitki, a tego koty nie lubią. Są jednak wyjątki, koty, które nie tylko świetnie pływają, ale też bardzo to lubią. Wspomniany już wcześniej turecki van i tygrys. Podobnie jaguar, który poluje na kapibary spędzające większość czasu w wodzie. Kapibara to taka ogromna „świnka morska”, największy z gryzoni. Żyje w Ameryce Południowej i często pada ofiarą jaguara.

A czy świnka morska pływa w morzu?

Absolutnie nie. Kiedyś, dawno temu, żyła sobie w górach Ameryki Południowej, a potem przywieziono ją do Europy jako zwierzątko domowe. Zresztą Indianie nie traktowali jej najlepiej. Zabijali i zjadali tak jak my zabijamy i zjadamy dużą świnkę. Nazwa „świnka morska” wzięła się stąd, że przybyła zza morza. Najpierw nazywała się zamorska, a potem „za” gdzieś się zgubiło i została świnką morską.

Dlaczego pies macha ogonem?

Jestem pewna, że gdybyś miał ogon, też byś nim machał. Ty masz ręce i zauważ, jak nimi wymachujesz, gdy się cieszysz,

coś mi opowiadasz lub gdy się czegoś wystraszysz. To się nazywa język ciała. Mówimy nie tylko głosem, słowami. Mówimy całym ciałem, gestykulacją rąk, postawą, kolorem skóry i zapachem. Czerwienisz się, gdy złapię cię na wykradaniu ciasteczek z kredensu, i chyba pamiętasz, jak się spociłeś na karuzeli w wesołym miasteczku. Pies chodzi na czterech łapach, nie może nimi wymachiwać, bo by się wywrócił. Machanie ogonem zastępuje mu gestykulację rąk.

Czy u zwierząt merdanie ogonem znaczy to samo?

Jak już wiesz, merdanie ogonem to język ciała. Każdy gatunek ma swój własny język, tak samo jak każdy naród. W wielu ludzkich językach spotyka się podobne słowa, które można rozpoznać, nie znając tych języków. Na przykład „mama". To samo dotyczy ogonów. Większość ogonów podkula się ze strachu lub sterczy w gotowości do walki, ale cała reszta merdań znaczy już co innego. Wszystko zależy od gatunku, który ogonem dysponuje. Żyjące w Ameryce Południowej małpy – czepiaki mają ogony chwytne jak dłonie. Wiewiórce ogon służy do utrzymania równowagi oraz jako kołdra i odświętny strój. Koty też utrzymują równowagę, pomagając sobie ogonem. Jaszczurka ratuje życie, gubiąc ogon, a rekin używa ogona do osiągania dużych prędkości.

Dlaczego psy i koty trzeba szczepić?

Nie tylko psy i koty. Dzieci też. A wszystko po to, by nie zachorowały na groźne choroby. Takie wywoływane przez wirusy i bakterie. Szczepionka zawiera cząstki wirusów i bakterii, które nie są groźne dla zdrowia, ale powodują, że twój, psi i koci organizm wytwarza skuteczną broń przeciw drobnoustrojom. Ta broń to przeciwciała, a wytwarza je układ odpornościowy. Składa się on z rzeszy komórek zwanych leukocytami – białymi krwinkami.

Dlaczego psy bronią swojego pana?

Wolałabym powiedzieć: przyjaciela. Robią to z tych samych powodów, dla których rodzice bronią dzieci i przyjaciele przyjaciół. Kochają, więc bronią.

Kto mieszka w dziupli na drzewie?

Może tam mieszkać wiewiórka, dzięcioł, sowa, a nawet kaczka zwana gągołem. Bardzo dużo zwierząt wykorzystuje dziuplę jako dom. Dlatego nie wolno tam nic wrzucać ani wsadzać rąk. Ty też nie lubisz, gdy ktoś bałagani ci w twoich rzeczach.

Czy psom też wypadają mleczne zęby?

Tak, i kotom też. Ludziom mleczaki zmieniają się na stałe zęby w wieku sześciu, siedmiu lat, a psom i kotom w wieku trzech miesięcy. Psy i koty żyją dużo krócej niż ludzie i dlatego wcześniej dorastają do zmiany zębów. Zresztą nie tylko do tego. Po prostu dużo wcześniej stają się dorosłe.

Dlaczego koci język jest chropowaty jak tarka?

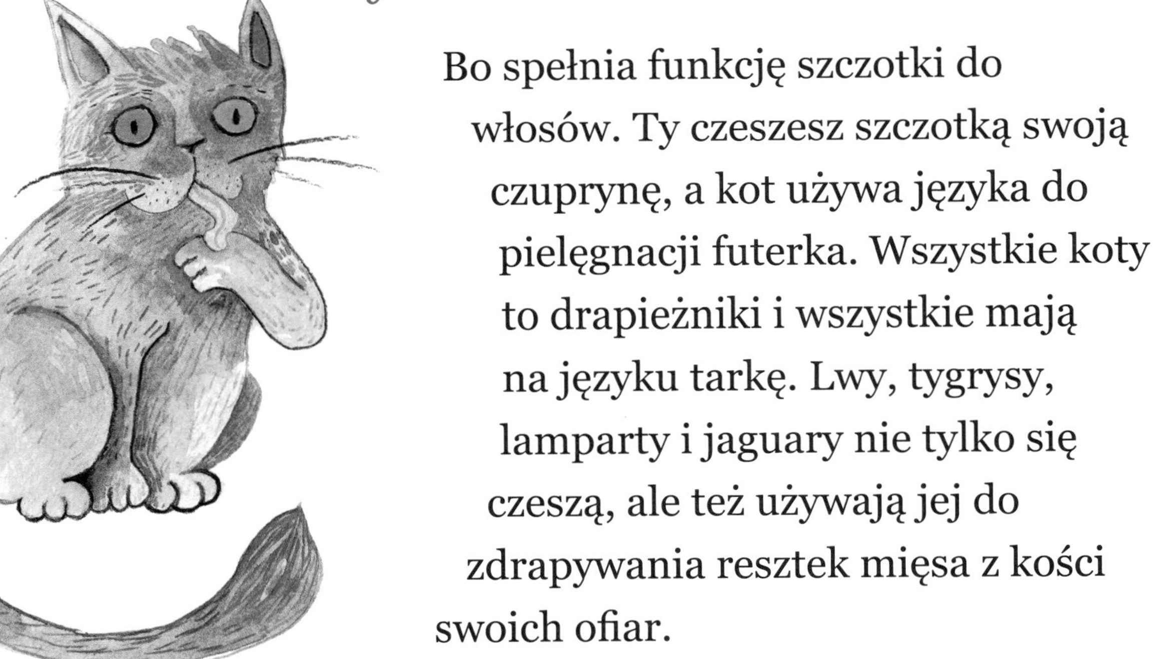

Bo spełnia funkcję szczotki do włosów. Ty czeszesz szczotką swoją czupryny, a kot używa języka do pielęgnacji futerka. Wszystkie koty to drapieżniki i wszystkie mają na języku tarkę. Lwy, tygrysy, lamparty i jaguary nie tylko się czeszą, ale też używają jej do zdrapywania resztek mięsa z kości swoich ofiar.

Dlaczego żółw ukrywa się w pancerzu?

To jego sposób obrony przed drapieżnikami. Pancerz jest bardzo twardy i chroni przed ostrymi zębami i pazurami. Zbudowany z części grzbietowej – karapaksu, i brzusznej – plastronu, jest zrośnięty z kręgosłupem i żebrami żółwia. Żółw porusza się dość wolno i dzięki pancerzowi nie musi szukać kryjówki, bo nosi ją zawsze ze sobą.

Po co ślimakowi muszla?

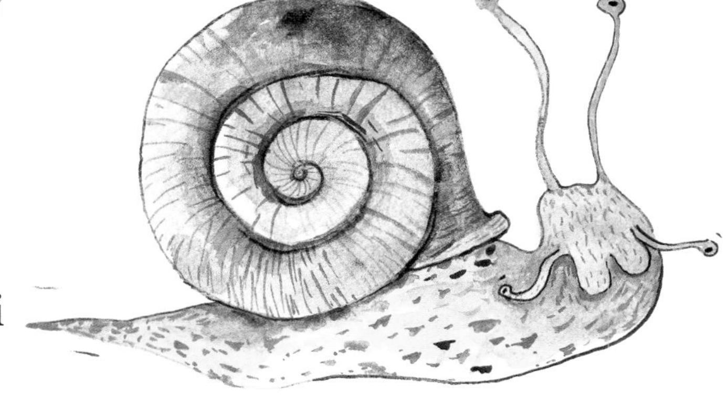

Muszla ślimaka spełnia podobną funkcję jak pancerz żółwia. Poza ochroną przed „zjadaczami" ślimaków chroni ich ciała przed wysychaniem. W czasie suszy ślimak chowa się do swojego domku i zamyka „drzwi". Wytwarza specjalną płytkę, która szczelnie zatyka wejście do muszli. Zimą robi to samo, ale wcześniej ukrywa się w zaciszu ziemnych jamek i piwnic.

Czy żółw może atakować, czy tylko chowa się w skorupie?

Każdy, kto miał do czynienia z żółwiem czerwonolicym, wie, że żółw może zaatakować, a nawet ugryźć. Jest bardzo wiele gatunków żółwi. Jedne są drapieżnikami, inne roślinożercami. Polujące na inne zwierzęta żółwie siłą rzeczy atakują, ale i roślinożerne potrafią toczyć między sobą walki. Oczywiście są to niezbyt groźne przepychanki, ale jednak walki. Żółwie lądowe poruszają się dość wolno, więc polowanie nie wchodzi w grę. Są roślinożerne. Co innego żółwie wodne, te najczęściej są drapieżne.

Dlaczego oczy kota świecą w nocy?

Nie świecą, ale odbijają światło. Kiedy na świecie robi się ciemno, koty ruszają na łowy. Nam się wydaje, że noc jest czarna. Tymczasem i gwiazdy, i księżyc dają trochę światła. Nawet przez chmury przedostają się nieliczne promyki. I to z nich korzysta kot. Ma w oku specjalną błonę odblaskową. Nie tylko odbija najmniejsze promyki, ale też skupia je na

tyle, że oświetlają mu cel polowania. W ciemności źrenice się rozszerzają i dlatego gdy poświecisz latarką w kocie oczy, zobaczysz w nich jej odbite światło. W dzień źrenice kota kurczą się i tworzą pionową szparkę. U nas jest ona okrągła.

Dlaczego ptaki mają pióra, a my włosy?

Pamiętasz film o dinozaurach? To takie prastare gady, które tak jak dzisiejsze węże i jaszczurki miały ciało pokryte łuskami. Bardzo, bardzo dawno temu zamieszkiwały Ziemię, a teraz ich najbliższymi kuzynami są ptaki. Łuski przekształciły się w pióra i dzięki temu są nie tylko lekkie, ale mogą pracować jak żagle. Latanie w ubraniu z łusek było dużo trudniejsze. My nie latamy, więc to, co było kiedyś łuskami, zmieniło się we włosy, które nie tylko ogrzewają, ale i chronią skórę przed urazami. Twoja czupryna okrywa głowę jak czapka. Zimą zatrzymuje ciepło, a latem osłania przed słońcem.

Po co pies porusza uszami? Ja tak nie potrafię.

I nic dziwnego, bo ty nie masz tak rozwiniętych mięśni odpowiedzialnych za poruszanie małżowinami uszu. Małżowiny to ta część, która jest na zewnątrz, reszta ucha schowana jest w środku głowy – zresztą jest to najważniejsza i bardzo delikatna część, dzięki której słyszysz. Małżowina służy tylko do zbierania dźwięków z otoczenia i kierowania ich do kanału słuchowego. Przodkiem psa jest wilk. Aby żyć, musi polować i być bardzo czujny. Czyha na niego wiele zagrożeń. Gdy tylko usłyszy jakiś szmer, kieruje w jego stronę małżowinę, aby jak radar zebrać najcichsze dźwięki i rozpoznać, czy to wróg, czy przyjaciel. Pies robi tak samo.

Po co jeżowi kolce?

To jego jedyna ochrona. Nie umie szybko biegać, wspinać się na drzewa, nie ma pazurów ani kłów. Bez kolców byłby kompletnie bezbronny. Kolce powstały bardzo dawno temu z włosów i do dziś chronią jego delikatne ciałko. Gdy jeż czuje się bezpiecznie, kładzie kolce i jest zupełnie gładki.

Stawia je na sztorc przy najmniejszym zagrożeniu. Do tego zwija się w kulkę i skrywa w środku swoje delikatne części ciała. Umożliwia mu to specjalny mięsień, który niczym elastyczna czapa pokrywa grzbiet i boki. My, choć nie mamy kolców, też możemy stroszyć włosy. Każda cebulka włosa ma malutki mięsień odpowiedzialny za postawę włosa. Dlatego mówi się nieraz, że włosy stanęły komuś dęba ze strachu.

Tam gdzie włosów jest mało, widać na skórze tak zwaną gęsią skórkę.

Czy jeże nadziewają na kolce jabłka?

Nie, nigdy tego nie robią. Jeże nie jedzą jabłek, tylko różne małe stworzonka: owady, jaszczurki, węże, a nawet myszy. Bardzo lubią dżdżownice, nie pogardzą też jajkiem. Jeż niosący na grzbiecie jabłko to niemądra bajka, bo jak właściwie miałby nadziać je na kolce? Musiałby się wywrócić na plecy i postawić kolce albo czekać pod drzewem, aż jabłko spadnie. Poza tym, jak jeż zdjąłby jabłko z grzbietu?

Nawet bardzo głodny jeż nie zje jabłka.

Dlaczego tygrys ma futro w paski?

Dzięki pionowym paskom na futrze staje się niewidoczny, gdy czai się wśród traw i zarośli. Jest samotnym myśliwym i może liczyć tylko na siebie. Poluje na bardzo różne zwierzęta, z zasadzki. Uciekłyby, gdyby go dostrzegły. Jego obiadem mogą stać się sarny, jelenie, a nawet małpy, jeśli żyje w Indiach.

A zebry?

Zebry żyją w dużych stadach. Są kuzynkami konia i żywią się trawą. Gdy się pasą, lwy czają się w zaroślach. Chcą wybrać sobie jedną z nich na obiad. Wyskakują z krzaków, a zebry ruszają do ucieczki. W szybkim galopie biało-czarne pasy zlewają się ze sobą i lwom trudno się zorientować, na którą zebrę polują.

Czy drzewo czuje ból?

Każda roślina czuje, a więc drzewo też. Na pewno czuje trochę inaczej niż my i inne zwierzęta. Nie ma takiego układu nerwowego jak ludzie, psy czy koty, ale tak jak my składa się z żywych komórek. Wszystkie żywe istoty mają przykre doznania, gdy ktoś traktuje je brutalnie.

Dlaczego trawa jest zielona?

Bo zawiera substancję zwaną chlorofilem, dzięki której słońce odżywia trawę cukrem. Słońce dostarcza roślinie energii na wytworzenie cukrów i innych substancji dzięki zielonemu chlorofilowi. Spełnia on podobną funkcję co hemoglobina, która barwi naszą krew na czerwono. W hemoglobinie mamy atom żelaza, a w chlorofilu atom magnezu i to on nadaje mu zielony kolor. Dzięki skomplikowanym procesom chemicznym z wody i dwutlenku węgla powstaje glukoza, czyli cukier. Nie tylko trawa jest zielona. Spójrz na liście drzew i innych roślin. Wszystkie czerpią siłę z promieni słonecznych, a ten proces nazywa się fotosynteza.

A kwiaty? Dlaczego są kolorowe?

Widzisz, kwiaty są trochę jak ludzie. Stroją się i pachną, aby zrobić na innych wrażenie. Ludzie na sobie nawzajem, a kwiaty na owadach. Większość roślin nie mogłaby się rozmnażać, gdyby nie pomoc owadów. To one przenoszą pyłek z kwiatka na kwiatek, ale żeby to zrobić, muszą na nim usiąść i wypudrować się pyłkiem. Kuszą je kolor i zapach kwiatu. Owady spijają słodki nektar, a przy okazji zapylają kwiaty, z których potem tworzą się owoce.

Co to znaczy zapylają?

Część roślin rozmnaża się podobnie do ludzi i zwierząt. Aby powstało nowe życie, czyli nowa roślina, muszą połączyć się dwie komórki rozrodcze – jedna żeńska, druga męska. Na pręcikach kwiatu są miliony drobin zwanych pyłkiem. Każde ziarenko pyłku zawiera dwie męskie komórki rozrodcze. Owad, który spija nektar z kwiatów, oblepia się ich pyłkiem. Potem leci na inne kwiaty, gdzie zostawia pyłek na tak zwanym słupku. W nim ukryte są żeńskie komórki rozrodcze i następuje zapylenie, czyli połączenie się dwóch komórek, żeńskiej i męskiej. Po jakimś czasie powstanie jabłko albo śliwka, a ty zjesz je ze smakiem.

Dlaczego kot łapie myszy?

Zanim człowiek udomowił kota, ten żywił się małymi zwierzętami. Przede wszystkim łapał gryzonie (myszy, norniki). Poza tym ptaki, gady, płazy, czasem ryby i owady. Skłonność do łapania myszy zbliżyła kota i człowieka. Ludzie robią zapasy żywności, a myszy chętnie z tego korzystają. Koty zbliżały się do ludzkich osad, bo tam mogły skutecznie polować. Człowiek zauważył, jak wiele pożytku daje mu obecność kota, i zaczął go zapraszać do swojego domu. Dziś większość kotów domowych nie musi polować, ale pozostała w nich ta chęć i wciąż to potrafią.

Dlaczego psy podkulają ogon?

Wiesz już, dlaczego pies macha ogonem. To jego język ciała. Należy do niego również podkulanie ogona. Pies mówi wtedy: „Boję się”.

Dlaczego żaba jest mokra?

Bo jej skóra nie może się obejść bez wody. Gdyby wyschła, żaba skazana byłaby na śmierć. Żaby oddychają prymitywnymi płucami i skórą. Musi być wilgotna, aby przenikał przez nią tlen. Najdziwniejsze jednak jest to, że zanim żaba stanie się żabą, zachowuje się jak ryba. Wtedy nazywamy ją kijanką – pływa w wodzie i oddycha skrzelami. Woda to jej kolebka. Tam pani żaba znosi jajeczka zwane skrzekiem. Z nich wylęgają się kijanki.

Kijanka nie ma łapek, tylko prawie rybi ogonek, który pozwala jej pływać. Z czasem ogonek zanika i wyrastają łapki. Najpierw tylne, potem przednie i mała żabka wychodzi na ląd, ale zawsze trzyma się blisko wody.

Dlaczego ludzie i zwierzęta chorują?

Choroby w dawnych czasach były jednym ze sposobów selekcji naturalnej. Najpierw muszę ci wyjaśnić, co to znaczy. Wyobraź sobie, że jesteśmy na grzybach. Zbieramy tylko zdrowe grzyby, a robaczywe wyrzucamy. Selekcjonujemy je. Natura ma podobny stosunek do wszystkich istot. Ludzi, zwierząt i roślin. Choroby odsuwają słabsze osobniki i tylko najsilniejsze przeżywają i rozmnażają się. Ludzie i zwierzęta chorują na bardzo podobne choroby. Są takie, z którymi się rodzimy, i takie, które dotykają nas w różnych okresach życia. Są choroby nieuleczalne i takie, które można wyleczyć.

Dlaczego foki są grube?

Żyją w chłodnej lub zimnej wodzie i gdyby nie gruba warstwa tłuszczu, zamarzłyby na śmierć. Bardzo wiele zwierząt „ubiera się w tłuszcz”, aby ochronić się przed zimnem.

Dlaczego musimy spać?

Bo mózg, który masz w głowie, musi odpocząć. W ciągu dnia widzi, słyszy i czuje tak dużo, że gdyby nie ułożył sobie tego w odpowiednie szufladki, pogubiłbyś wszystkie myśli. To tak jak z klockami Lego. Jeśli ułożysz je w pudełku zgodnie z kolorem i kształtem, będzie ci łatwiej zbudować z nich, co zechcesz. Gdyby klocki były rozrzucone i pomieszane, trudno byłoby znaleźć ten, który jest akurat potrzebny.

To gdy będę duży, to też będę musiał spać?

Tak, wszyscy musimy spać, przez całe życie. I nie dlatego, że ja ci każę, ale dlatego, że domaga się tego twój organizm. Małe dzieci, psy i koty śpią więcej niż ludzie dorośli i zwierzęta. Ale na starość znów częściej zasypiamy, nawet w środku dnia. Stare organizmy potrzebują więcej odpoczynku, bo zmęczone życiem organy i tkanki potrzebują dużo czasu na regenerację sił.

A kto jest największym śpiochem?

Większość ludzi odpowiedziałaby, że suseł, ale to nieprawda. Suseł i wiele innych zwierząt zasypiają na zimę. To nie jest zwykły sen. Tak naprawdę to wcale nie jest sen, tylko stan, w którym całe ciało, wszystkie narządy i komórki zwalniają tempo. Serce zaczyna bić bardzo wolno, spada temperatura ciała, jelita przestają trawić i nie chce się ani kupki, ani siusiu. Ten stan nazywa się hibernacją, pozwala przeżyć zimę bez znoszenia trudów chłodu i głodu. Jesienią susły, jeże, nietoperze, niedźwiedzie i cała rzesza innych drobniejszych zwierząt znajdują jakąś przytulną kryjówkę i zapadają w stan hibernacji zwany snem zimowym. Oczywiście wcześniej muszą bardzo dużo jeść, aby czerpać energię ze zgromadzonego tłuszczu.

A kto śpi najkrócej?

Żyrafa potrzebuje tylko trzech godzin snu,

aby być wypoczęta, ale jest ktoś, kto sypia jeszcze krócej. To ryjówki. Malutkie kuzynki jeża. Nie mają kolców i bardziej przypominają myszkę niż swojego kuzyna. Tylko wydłużony pyszczek mówi o pokrewieństwie z kolczastym krewnym. Prowadzą bardzo aktywny tryb życia i sypiają tylko po kilka minut.

Skąd się biorą sny?

Wprost z twojej i każdej innej głowy. Śnią wszystkie ssaki i ptaki. Jak już wiesz, sen jest po to, by mózg mógł odpocząć. Zresztą nie tylko on, reszcie ciała też się to należy. Ale poza odpoczynkiem mózg ma jeszcze jedno zadanie: musi posegregować i poukładać według ważności wszystkie doświadczenia i uczucia, których doznałeś za dnia. Właśnie wtedy, gdy to robi, śnią się sny.

Dlaczego żyrafa ma bardzo długą szyję?

Żyrafa jest roślinożercą, a tam gdzie żyje, na sawannie, w klimacie gorącym i suchym, często jedyną jadalną rośliną są liście akacji. Trzeba po nie sięgać bardzo wysoko, bo trawy wysychają doszczętnie, gdy nie pada deszcz. Dzięki długiej szyi żyrafa może zerwać liście z najwyższych gałęzi. Zdziwisz się, gdy powiem, że żyrafa ma długą nie tylko szyję. Jej język jest prawie tak długi jak twoja rączka. Może nim wśliznąć się między ostre kolce akacji, zerwać liść i nie pokaleczyć sobie warg.

Dlaczego komary gryzą ludzi?

Nie tylko ludzi. Żywią się krwią, więc gryzą wszystkich, i ludzi, i zwierzęta, którzy mają krew i których skórę mogą

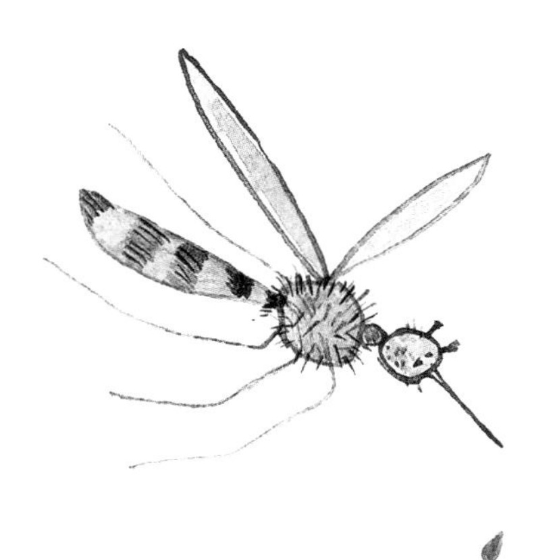

przekłuć specjalnym
narządem zwanym kłujką.
Krew wysysają tylko panie
komarowe, panowie
spijają nektar z kwiatów
i nie mają kłujki.

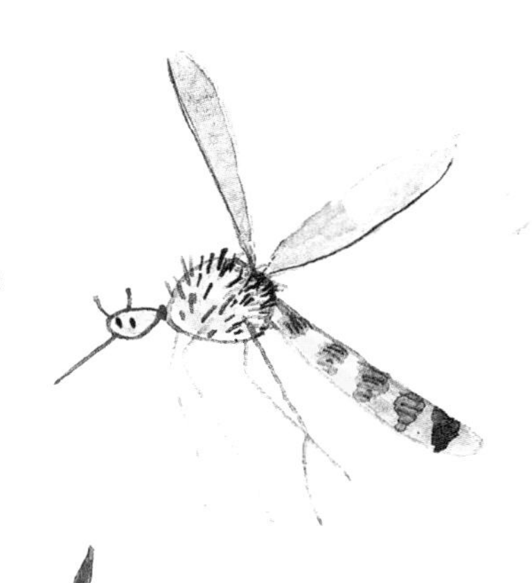

Dlaczego psy gryzą?

Odpowiem ci najprościej, jak tylko można – bo mają zęby. Nie mają rąk, którymi mogłyby odepchnąć intruza, ani kopyt, aby go kopnąć. Pomyśl, gdybym związała ci ręce i nogi, czym mógłbyś się obronić przed natrętem dłubiącym ci w uchu? Tylko zębami. Na dodatek psy bardzo rzadko gryzą ludzi, a ci bardzo często krzywdzą te przemiłe zwierzęta.

A dlaczego koty drapią?

Odpowiem podobnie jak wcześniej – bo mają pazury. To ich sposób, aby uprzedzić natręta przed atakiem z jego strony, ostrzegają: „Nie dotykaj mnie, bo za chwilę nie tylko podrapię, ale i ugryzę”. Musisz zapamiętać, że każdy ma prawo bronić się przed tym, czego zdecydowanie sobie nie życzy. Ty, ja, tak samo pies i kot.

Dlaczego kot mruczy?

Najczęściej kot mruczy, gdy jest zadowolony, gdy czuje się bezpieczny, bo lubi osobę, która go dotyka, i chce pokazać, jak mu dobrze. Jednak nie zawsze tak jest. Zdarza się zupełnie odwrotna sytuacja. Bardzo chory i cierpiący kot też potrafi mruczeć, ale z bólu. Tak jakby chciał oszukać cierpienie i choć na chwilę poczuć się lepiej.

Czy wszystkie koty mruczą?

Mruczą wszystkie koty domowe. Poza tym żbiki i koty nubijskie, dzicy kuzyni naszych mruczków. Tygrysy, lwy, lamparty, gepardy i jaguary tego nie robią. Ale mruczą też pantery: pantera śnieżna, żyjąca wysoko w górach, i pantera mglista z tropikalnych dżungli.

MRRRRR

Dlaczego ludzie nie mają skrzydeł?

Z tych samych powodów, co psy i koty. Bardzo, bardzo dawno temu, gdy nie było jeszcze ludzi, psów i kotów, na Ziemi żyły małe ssaki. Były podobne do myszki i żywiły się owadami. Część z nich zainteresowała się tymi, które latają. Tak podskakiwały i wymachiwały łapkami, że z czasem łapki zamieniły się w skrzydła. Dzięki temu mamy nietoperze – jedyne czynnie latające ssaki. Inne małe ssaki zaczęły jeść owoce i nasiona, jeszcze inne polować na ziemi. Skrzydła nie były im potrzebne. To właśnie te zwierzęta dały początek psom, kotom i ludziom.

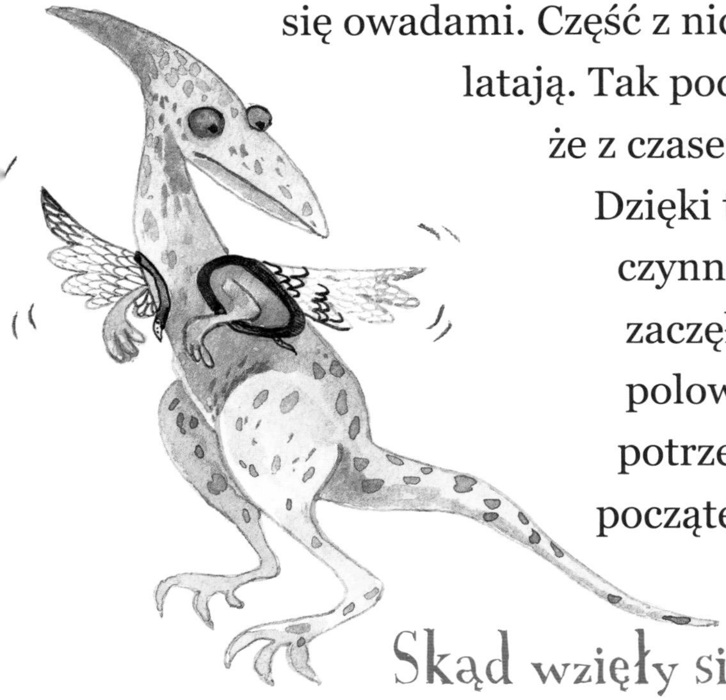

Skąd wzięły się ptaki?

Jak już wiesz, ptaki są najbliższymi kuzynami dinozaurów – prastarych gadów. Zanim stały się ptakami, najpierw były gadami, z których część też zaczęła skakać z drzewa na drzewo, ze skały na skałę. Jedne polowały na owady, inne wspinały się wysoko, gdzie rosły smaczne owoce. Robiły to tak długo, aż ich łapki zamieniły się w skrzydła. Potem łuski w pióra.

A czy jak będę machać rękami, to ręce zmienią mi się w skrzydła?

Nie, nic z tego nie będzie. Ale gdyby przez miliony lat twoje dzieci i ich dzieci, i przez tysiące pokoleń następne dzieci zaczęły przeskakiwać z drzewa na drzewo, to kto wie? To, jak wyglądamy, co jemy, co myślimy i czego się obawiamy, kształtowało się miliony lat. Wszystkie żywe organizmy na świecie są swego rodzaju kuzynami. Zaczynaliśmy wspólnie jako małe, nieskomplikowane organizmy. Potem z nich tworzyły się inne, bardziej skomplikowane i tak różne, że trudno je podejrzewać o wspólnych przodków. To zjawisko nazywamy ewolucją.

Dlaczego wąż nie ma nóg?

Wąż jest gadem tak jak jaszczurka. Kiedyś, bardzo, bardzo dawno temu, miał nogi. Żył w takim środowisku, w którym

musiał się przeciskać przez wąskie szczeliny, przedzierać przez gęste trawy i zarośla. Nogi zaczęły mu przeszkadzać. Z czasem robiły się coraz krótsze, aż całkiem zanikły.

Dlaczego wąż ma jad?

Nie każdy wąż jest jadowity. Jad wytwarzany jest w specjalnych gruczołach i służy zdobywaniu pokarmu i ratowaniu życia. Węże, które nie mają gruczołów jadowych, duszą swoje ofiary lub po prostu je połykają.

Dlaczego gołębie nie odlatują do ciepłych krajów?

Bo dostosowały się do naszego klimatu i umieją przeżyć zimę. Zanim zamieszkały w miastach, żyły w wysokich górach i nazywały się gołębiami skalnymi. Jak się pewnie domyślasz, skały to niewygodna pierzynka. Trudno tam o schronienie i pożywienie. Dlatego wolą żyć bliżej człowieka, bo ludzie nie umieją utrzymać porządku. Wyrzucamy mnóstwo śmieci, a wśród nich i jedzenie. Gołębie miejskie żywią się tym, co wyrzucimy.

Czy ptaki mają powieki?

Oczywiście, że mają, ale nie mrugają nimi tak jak my. Rolę powiek odgrywa u ptaków tak zwana migotka, czyli trzecia powieka. U ludzi jest ona ograniczona do różowej grudki w wewnętrznym kącie oka, u ptaków jest półprzezroczystą błoną nawilżającą i chroniącą oko. Nazwa „migotka" wzięła się stąd, że ta powieka porusza się w zawrotnym tempie.

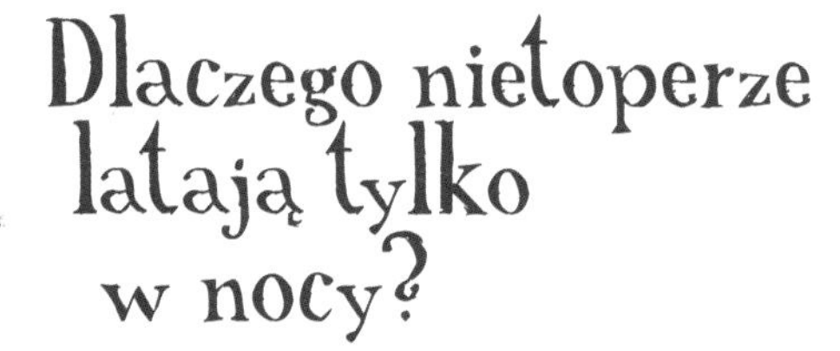

Dlaczego nietoperze latają tylko w nocy?

Nie wszystkie. W ciepłych krajach żyją rudawki, największe z nietoperzy. Są tak duże, że niektórzy nazywają je latającymi psami. Żywią się owocami i są aktywne za dnia. Inne polują na owady, które fruwają po zmroku i przed świtem, i właśnie dlatego nocą można spotkać większość nietoperzy. W Ameryce Południowej żyje nietoperz zwany wampirem.

Żywi się krwią innych zwierząt. Ostrymi ząbkami nacina skórę i zlizuje kropelki krwi. Też robi to tylko w nocy, gdy większość zwierząt śpi. W jego ślinie znajduje się substancja znieczulająca, tak że okradane z krwi istoty nie budzą się, bo nic nie czują.

Dlaczego ryby nie mają głosu?

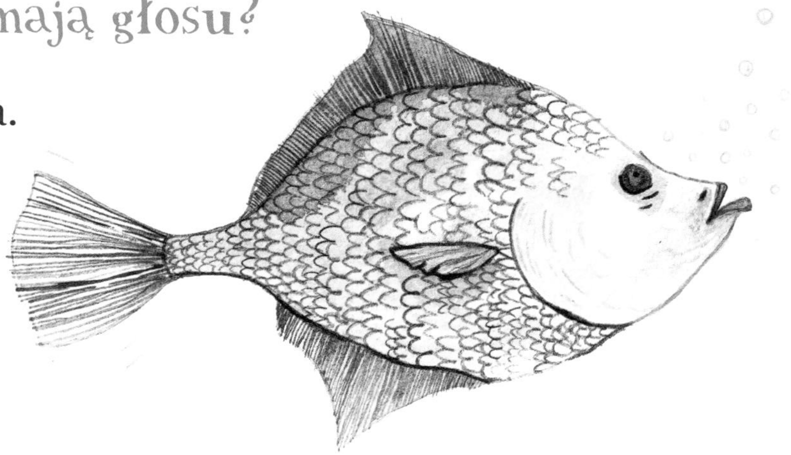

To nie do końca prawda. Większość ryb rzeczywiście porozumiewa się na inne sposoby – ruchem ciała, kolorami, zapachem, a nawet prądem elektrycznym, ale są i takie, które „mają głos". Ropuszniki i trąbonosy śpiewają pieśni miłosne, słyszalne nawet nad powierzchnią wody. W wodzie głos rozchodzi się szybciej i dalej niż w powietrzu i ryby wykorzystują to, by się porozumiewać, nie tylko śpiewając. Chrząkają i pocierają zębami.

Dlaczego jeleń ma rogi?

Nie mówi się rogi, tylko poroże. Rogami nazywamy to, co krowa nosi na głowie. Poroże jelenia jest trochę jak królewska korona. Wyrasta tylko na głowie panów jeleni, zwanych bykami. Panie, czyli łanie, nie mają takiej ozdoby, która przy okazji jest orężem – narzędziem do walki z innymi bykami. Jesienią dorodne samce walczą o względy łań, zderzając się porożami. Ogłaszają gotowość do walki głośnym rykiem i dlatego nazywamy ten czas rykowiskiem. Potem poroże, już niepotrzebne, odpada, aby wyrosnąć na nowo w następnym roku. W czasie gdy poroże rośnie, pokrywa je scypuł przypominający puchate futerko.

Dlaczego koń ma kopyta?

Końskie kopyto jest odpowiednikiem naszego paznokcia. My chodzimy na całych stopach, a wiele zwierząt chodzi na palcach. Należy do nich też koń. Tyle że każda jego noga stoi na jednym, mocnym palcu uzbrojonym

w kopyto. Jest ono doskonałym i bardzo skomplikowanym amortyzatorem końskiego biegu. Koń jest ciężki i galopuje bardzo szybko. Gdyby nie miał kopyt, uszkodziłby sobie nogi.

Dlaczego kogut ma grzebień?

Z tych samych powodów, dla których eleganccy panowie wkładają cylindry, a panie stroją się w kolie i robią fryzury. Chcą zwrócić na siebie uwagę. Panowie zabiegają o względy pań, a innym panom pokazują, że są niepokonani. Tak samo jak koguty. Pysznią się czerwonym grzebieniem, aby powiedzieć kurom i innym kogutom: „Jestem najlepszy".

Dlaczego kogut pieje?

Z tych samych powodów, dla których ludzie śpiewają piosenki, a ty wołasz mnie, gdy chcesz się czymś pochwalić. Chce zwrócić na siebie uwagę. Pokazać kurom, że jest najlepszy, a innym kogutom powiedzieć: „Wara od moich kur".

Dlaczego orzeł jest biały tylko na godle?

Białego orła na godle wymyślił człowiek. Biały kolor kojarzy się z czystością i szlachetnością. Godło to znak, że się przynależy do pewnej grupy. Dlatego znak orła ma taką barwę. Orły w rzeczywistości nie są białe. Nasz orzeł przedni ma trochę białych piórek, ale giną w brązowej szacie. Biel bielika jest ograniczona tylko do ogonka. Więcej białego koloru można zobaczyć w upierzeniu bielika syberyjskiego.

Dlaczego jamnik jest taki długi?

Dawno, dawno temu człowiek udomowił wilka i zrobił z niego psa. Potem zaczął go zmieniać na swoją modłę. Chciał mieć pomocnika w polowaniu na zwierzęta mieszkające w norach. Zaczął krzyżować ze sobą psy o krótkich łapkach, co daje wrażenie długiego tułowia. Szczeniaki z takich krzyżówek miały coraz krótsze łapki i stąd mamy jamnika. Wcale nie jest mu wygodnie, choruje na różne choroby kręgosłupa i jest to tylko wina człowieka.

Po co słoniowi trąba?

To jego nos, który odgrywa także rolę naszych rąk. Słoń jest bardzo duży i ciężki. Pomyśl, jak dużo czasu zajmowałoby mu odwracanie się i wąchanie świata wkoło. Trąba pozwala mu sięgnąć wysoko w gałęzie drzew i nisko w trawy. Jest bardzo silna i sprawna, jak twoja dłoń. Słoń zbiera nią jedzenie i podaje sobie do buzi, tak samo pije wodę. Używa trąby do pracy, pieszczot, a czasem do obrony.

Po co słoniowi takie wielkie uszy?

Największe uszy mają słonie afrykańskie. W Afryce bywa bardzo gorąco i słonie wachlują się uszami jak wachlarzem. Prócz tego wielka małżowina ucha pozwala zbierać dźwięki z całej okolicy i słoń może dowiedzieć się, co dzieje się nawet bardzo daleko. Słyszy dużo więcej niż my. Potrafi wydawać i słyszeć bardzo niskie dźwięki, których my nie słyszymy.

Dlaczego jedne psy są bardzo małe, a inne ogromne?

Jak już wiesz, pies jest kuzynem wilka. Wszystkie wilki są dość podobnych rozmiarów. Oczywiście zdarzają się wśród nich bardzo duże osobniki, a czasem wyjątkowo drobne. Gdy człowiek udomowił wilka, ten przestał mu się podobać w swojej doskonałej postaci. W ogóle ludzie to kapryśne istoty. Jedni chcieli wielkiego psa, inni malutkiego. Zaczęli łączyć w pary największe zwierzęta i uzyskiwali coraz większe psy. To samo robili z najmniejszymi, i wtedy rodziły się coraz mniejsze szczeniaczki. I właśnie dlatego mamy dziś ratlerka i doga. Jeden i drugi ma w sobie wilczy ślad.

Dlaczego psy podnoszą łapę, gdy siusiają?

Robią to tylko samce, suczki kucają. Psy znaczą w ten sposób swoje terytorium, aby zostawić innym psom informację: „Byłem tu, czuję się gotowy do zawarcia znajomości albo do walki". Dzięki temu, że ich siusiany list znajduje się wyżej – na słupie lub drzewie – inne psy mogą go łatwo odczytać.

Dlaczego kangur ma torbę na brzuchu?

Pani kangurzyca nosi tam swoje dziecko, dopóki maluch nie stanie się samodzielny. Kangury należą do torbaczy, czyli takich zwierząt, u których panie zwane samicami mają na brzuchu torby do odchowywania dzieci. Ich maleństwa rodzą się bardzo wcześnie i jeszcze długo muszą być schowane przed słońcem i deszczem. Kryją się w torbach swoich mam i przyczepiają do sutka, z którego piją mleko. Trochę starsze czasem wychodzą z torby, ale uciekają tam z powrotem nawet przy najmniejszym zagrożeniu.

Dlaczego zając ma długie uszy?

Jedynym sposobem obrony zająca przed drapieżnikami jest ucieczka. Zając musi zawczasu usłyszeć lub zobaczyć zagrożenie. Jest zwierzęciem żyjącym na wielkich przestrzeniach porośniętych trawami. Mimo doskonałego wzroku jego oczy – trzeszcze nie zawsze mogą wypatrzyć drapieżnika. Trawy zasłaniają pole widzenia. Długie uszy – słuchy wystają wysoko i wychwytują nawet najcichszy dźwięk.

Dlaczego zając skacze, a wilk biega?

Wilk jest drapieżnikiem polującym na bardzo różne zwierzęta. Tropi je węchem. Jego przewodnikiem jest nos. Biegnąc truchtem, wilk może wąchać każde źdźbło trawy, każdy krzak i kamień. Gdy znajdzie trop, puszcza się w pogoń, ale nie może zgubić zapachu. Gdyby wykonywał zajęcze skoki, nie wytropiłby ofiary. Zając jest roślinożercą. W pełni zadowala się trawą i koniczyną. Jego mały nosek też musi być czujny, tak samo jak oczy i uszy. Ich zadaniem jest rozpoznać zagrożenie i uciekać jak najszybciej. Silne tylne nogi zająca nie bez powodu nazywają się skoki. Zające skaczą na bardzo duże odległości i drapieżnikom trudno je dogonić.

Poza tym drapieżcy gubią trop, bo ślady skoków nie są tak regularne jak w wypadku zwykłego biegu. Skacząc wysoko, zające mogą zobaczyć, co dzieje się w okolicy, i to też pomaga im unikać niebezpieczeństwa.

Czy świnia jest brudna?

Nic bardziej kłamliwego. Świnia to bardzo mądre i czyste zwierzę. Kiedyś była dzikiem i żyła w lesie. Człowiek udomowił, czyli zniewolił dzika, i mamy świnię. Zamknął ją w małym chlewiku i zaczął tuczyć. Nie ma tam toalety i jest bardzo niewiele miejsca, a człowiek karmi świnię ponad miarę. Robi tak, aby szybko utyła. Potem zabija i zjada w formie szynki, kiełbasy i kotletów.

Gdyby nas zamknięto w małym pokoju, podawano dużo jedzenia i nie pozwolono iść do toalety, też bylibyśmy brudni.

Czy baran jest głupi?

Nieprawda. Ludzie, nie rozumiejąc zwierząt, przypisują im nieraz różne złe cechy. Baran to samiec – pan owca.

Jego zadaniem jest bronić swoich pań przed intruzami i drapieżnikami. Właśnie dlatego atakuje każdego, kto wyda mu się podejrzany.

Czy lis jest chytry?

Jeśli uznalibyśmy, że chytry znaczy sprytny, to odpowiem: tak, ale chytry znaczy też nieuczciwy, podstępny, zachłanny. A taki lis nie jest. Dla swoich dzieci poświęci nawet życie. Umie być lojalnym przyjacielem i wesołym kompanem. Jest drapieżnikiem i poluje na małe ofiary – myszy, szczury, ptaki i inne drobne zwierzęta. Chętnie zagląda do kurników i kradnie kury. Ludzie nazwali go chytrym, bo często udaje mu się wystrychnąć człowieka na dudka.

A dlaczego „na dudka"?

Dudek to bardzo piękny ptak z pokaźnym pomarańczowym czubkiem. Czarno-białe pióra tworzą na jego ciele pasy, a czub to się podnosi, to opada. Dudek żywi się owadami. Prawie nie ma języka, a dokładniej jego język jest w rozmiarze mini, więc musi owady podrzucać i łapać wprost do gardła. Tylko w taki sposób może połknąć posiłek. Wygląda to dość śmiesznie, a człowiek, nie znając anatomii i zwyczajów dudka, uznał to za bezsensowne ruchy przypominające dezorientację.

Dlaczego mucha chodzi po szybie i nie spada?

Dlatego że jej łapki – odnóża są zakończone specjalnymi przylgami, przyssawkami. Dzięki nim może maszerować nawet po suficie.

A kto jeszcze może chodzić po szybie?

Wszystkie owady, które mają przyczepne odnóża, a oprócz nich robią to też żabki rzekotki i jaszczurki gekony. Jedne i drugie mają na palcach specjalne przyssawki.

Dlaczego jaszczurki gubią ogonki?

Napadnięte, w ten sposób ratują życie. Gdy jakiś drapieżnik dogoni jaszczurkę, najczęściej chwyta ją za ogon. Ten jest tak zbudowany, że można go odrzucić, mniej więcej w połowie. Dzięki temu część ogonka zostaje w paszczy drapieżcy, a jaszczurka umyka. Są takie gatunki jaszczurek, których odrzucony ogon podskakuje i wije się. Odwraca tym uwagę napastnika i daje jaszczurce większą szansę na ocalenie życia. Z czasem utracony ogonek odrasta, ale nie jest już tak zgrabny.

Dlaczego chomik wypycha jedzeniem policzki?

Ma tam specjalne rozciągliwe worki. Trochę jak torby na zakupy. Kiedy idziemy do sklepu, nie zjadamy od razu tego, co kupujemy. Zabieramy do domu i jemy przez kilka dni. To samo robi chomik. Gdy znajdzie jedzenie – najchętniej ziarno – chowa je do worków i niesie do swojej norki. W ten sposób robi zapasy.

Dlaczego ogień parzy?

Bo ma bardzo wysoką temperaturę, a ty masz na ciele specjalne receptory – czułe komórki nerwowe, które przesyłają do głowy informację: „Gorące! będzie bolało!”. Jeśli nie posłuchasz, to bardzo zaboli, a poparzenie goi się długo. Można poparzyć się nie tylko ogniem. Wszystko, co ma wysoką temperaturę, uszkadza skórę każdej żywej istoty. Słońce też może to zrobić.

Czy wszystkie pszczoły mają żądło?

Nie, nie wszystkie. Żądło mają tylko panie zwane robotnicami i pszczela matka, nazywana królową. Panowie, czyli trutnie, nie mają żądła. Tak naprawdę nie jest im ono potrzebne. Robotnice nie tylko zbierają kwiatowy pyłek, ale też bronią roju przed atakami rabusiów i opiekują się larwami. Muszą mieć do tego odpowiedni oręż.

A czy wiesz, że żądląc, pszczoła traci życie? Żądło ma specjalny haczyk i dlatego zostaje w ciele użądlonego. Pszczoła pozostawia wraz z nim wyrwane z odwłoka gruczoły jadowe. Potem umiera.

A co robią trutnie?

Właściwie niewiele. Jedzą i czekają na swoje wesele. Gdy młoda matka opuszcza ul, ruszają za nią w pościg. Każdy chce zostać ojcem jej dzieci. Udaje się to tylko jednemu. Temu, który wytrwa w pogoni na ogromną wysokość. Tam gdzie latają samoloty, truteń i pszczela matka biorą ślub. Potem ona wraca do swojej rodziny składającej się z samych pań, a on z innymi trutniami skazany jest na poniewierkę. Nie umie troszczyć się o rodzinę i tylko przeszkadzałby w ulu.

Dlaczego dzik ma ostre kły?

Nazywają się szable i służą do walki i obrony. Rzeczywiście są bardzo ostre, a to dlatego, że cały czas ostrzą się o górne kły zwane fajkami. To dzięki nim dzik może być groźny nawet dla dużego drapieżnika.

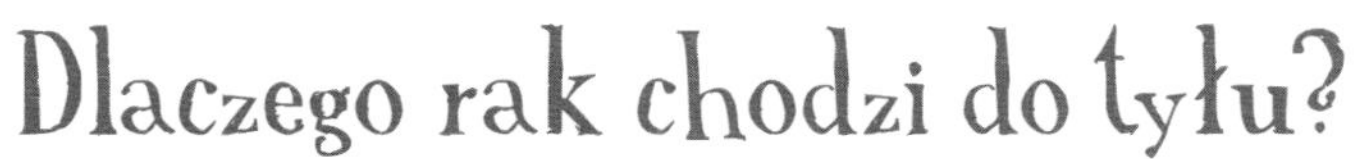

Dlaczego rak chodzi do tyłu?

Umie to robić bardzo sprawnie i szybko. Ale chodzi też do przodu. Rak mieszka w przybrzeżnych jamkach. Ukrywa się tam przed drapieżnikami i gdy poczuje zagrożenie, może się natychmiast wycofać do swojej kryjówki.

Dlaczego raki szczypią?

Nie mają zębów, więc nie mogą gryźć. Nie kopną, bo nie mają kopyt. Mają szczypce do polowania i obrony, więc szczypią.

Czy raki umieją pływać?

Oczywiście, i to bardzo szybko. W końcu żyją w wodzie. Co prawda nie pływają żabką ani kraulem, ale ich ogon działa jak wyrzutnia i płyną podobnie do torpedy.

Dlaczego krowie wystarcza trawa, a my musimy jeść coś innego?

Krowa jest zwierzęciem roślinożernym, a na dodatek przeżuwaczem. Tak samo jak koza, owca, żubr, bizon, antylopa, żyrafa i cała rzesza innych przeżuwaczy. To takie zwierzęta, których przewód pokarmowy dostosował się do wykorzystywania niestrawnej dla nas celulozy. Można ją porównać z papierem. Nie najemy się nim. Nie strawimy go.

Trawa składa się w dużej mierze z celulozy. Krowa też nie dałaby trawie rady, ale w jej czterokomorowym żołądku żyją bakterie celulolityczne i pierwotniaki. To one zmieniają celulozę w lekkostrawne białko. Wniosek z tego jest taki, że krowa odżywia się nie trawą, ale bakteriami i pierwotniakami.

Zanim jednak to się stanie, musi im ułatwić zadanie. Musi odpowiednio przygotować trawę w przedżołądkach i przeżuć ją jeszcze raz, aby nasączyć ją śliną. Gdy jej się odbija, kęsy wcześniej połkniętej trawy wracają do jej paszczy. Przeżuwa ją i połyka jeszcze raz. My należymy do stworzeń wszystkożernych i nie mamy w przewodzie pokarmowym aż tylu pomocników, a bekamy po wodzie z bąbelkami.

Dlaczego krowa daje mleko?

Nie tyle daje, co my jej to mleko zabieramy. Sama wolałaby pewnie nakarmić swoje dziecko – cielaczka. Dawno, dawno temu człowiek udomowił krowę, czyli spowodował, że już sama by sobie nie poradziła. Skazał ją na życie w niewoli i zaczął okradać z mleka. Krowa należy do ssaków, a każda pani ssak karmi swoje dzieci mlekiem. Nazwa „ssak" mówi o tym, że gdy się było maluchem, ssało się matczyne mleko. Mama krowa daje bardzo dużo mleka nie tylko dlatego, że jest duża. Człowiek wyhodował takie rasy krów, które produkują więcej mleka, niż potrzeba cielaczkowi.

Czy paznokcie mogą rosnąć w nieskończoność?

Paznokcie rosną przez całe życie, więc mogłyby osiągnąć nawet kilka metrów długości. Są dość miękkie, więc gdyby się nie połamały, poskręcałyby się w serpentyny. Nie ścieramy ich tak jak psy biegające po twardym podłożu i dlatego musimy obcinać.

Dlaczego wielbłąd ma garb?

Są nawet takie wielbłądy, które mają dwa garby. Nazywają się baktriany. Wielbłąd z jednym garbem to dromader. Wielbłądy żyją w pustynnych rejonach świata. Trudno tam o jedzenie i wodę. Muszą gromadzić zapasy na ciężki czas, gdy nie znajdą nic do jedzenia. Garb jest jak plecak z prowiantem. Co prawda nie ma w nim kanapek ani napoju, ale jest tłuszcz. Wielbłądy czerpią z niego energię do życia, a ich organizm umie przerobić tłuszcz na wodę.

Dlaczego kret kopie podziemne korytarze?

Bo żywi się głównie dżdżownicami, a one żyją pod ziemią. Kret jest doskonale przystosowany do takiego życia. Jego przednie łapki są

zbudowane jak łopaty, a nos jest tak czuły, że wytropi pod ziemią każdego owada.

Czy to prawda, że kret jest ślepy?

I tak, i nie. Krety z północnych rejonów świata mają oczy i trochę widzą, a te z południa są kompletnie ślepe. Ich uwstecznione oczy są ukryte pod skórą. Długo nieużywany narząd zanika, czyli się uwstecznia. Pod ziemią jest ciemno, więc w gruncie rzeczy oczy są niepotrzebne. Zastępują je doskonały węch i słuch.

Czy kura ma malutki móżdżek?

Dokładnie taki, jaki jest jej potrzebny. Wielkość nie ma tu znaczenia. Kura ma małą główkę, a mózg musi się zmieścić w środku. Twoja głowa jest dużo mniejsza od mojej, a więc i twój mózg jest mniejszy. Mimo to wcale nie jesteś głupszy ode mnie. Ludzie myślą, że jak ktoś ma malutki móżdżek, to musi być głupkiem, i są w wielkim błędzie.

I. KANT
FIZYKA
KWANTOWA

Dlaczego sowa ma oczy osadzone inaczej niż inne ptaki?

Oczy sowy, osadzone podobnie jak u człowieka, ograniczają wprawdzie pole widzenia, ale sowa nadrabia to wyjątkową ruchomością głowy. Może obrócić ją nawet na plecy. Jej bardzo wrażliwe na światło oczy są w stanie dokładnie zlokalizować maleńki punkcik, co byłoby trudniejsze, gdyby oczy znajdowały się po bokach głowy. Poza tym takie ułożenie oczu jest wymuszone tym, że głowa sowy przypomina radar.

Pióra ułożone promieniście wokół dzioba i oczu tworzą czaszę odbijającą najcichszy dźwięk. Przesyłają go do jej najczulszych uszu, które ułożone są niesymetrycznie. Jedno znajduje się wyżej niż drugie. Dzięki temu sowa nawet z zamkniętymi oczami jest w stanie nie tylko zlokalizować mysz przemykającą w trawie, ale też ocenić prędkość, z jaką ta się porusza. „Radarowa” twarz sowy nazywa się szlara.

Dlaczego sarna ma białą plamę na pupie?

Ta plama to talerz albo lustro i ma ją nie tylko sarna. Jelenie i daniele też. U sarny lustro jest białe tylko zimą. W lecie robi się żółte. Sarny są narażone na częste ataki drapieżników. Bronią się ucieczką. W zimie zbierają się w spore stada zwane chmarami. Dzięki lustrom szybko orientują się, jaki jest kierunek ucieczki.

Dlaczego mrówki budują kopce?

Mrówki są owadami żyjącymi w ogromnych grupach rodzinnych. Nie wszystkie budują kopce. Te, o które pytasz, to mrówki rudnice. Mrowisko widoczne na powierzchni ziemi to ich letni dom. Kiedy panuje przyjemnie ciepła temperatura, mrówki mieszkają w kopcu. W zimie przenoszą się do podziemnego mrowiska. Jest znacznie większe niż kopiec, a ten na czas zimy staje się izolacją i wentylatorem podziemnej części mrówczego domu. W jednym mrowisku może mieszkać ponad milion mrówek.

Dlaczego nosorożec ma róg na nosie?

A nawet dwa rogi, bo tyle ma największy z nosorożców – biały. Wcale nie jest biały, ale ma dość pokojowe usposobienie. Jest naprawdę ogromny, bo mierzy dwa metry wzrostu i może ważyć aż trzy tony. Róg na nosie służy mu do walki i obrony terytorium. Tak samo jak innym nosorożcom.

Dlaczego dzięcioł stuka w drzewo?

Ma bardzo silny dziób i wykuwa nim otwory w korze, pod którą żyje wiele owadów. Żywi się nimi. Wsuwa w otwór swój lepki język i wyciąga smaczne kąski. Pomaga mu w tym kilka haczyków na końcu języka. Stukanie w drzewo to nie tylko poszukiwanie obiadu. Dzięcioły wysyłają w ten sposób wiadomości innym dzięciołom, a także wykuwają w drzewie dziuple. Potem pani dzięciołowa znosi w dziupli jaja, z których wykluwają się małe dzięciołki.

Dlaczego żmija jest jadowita?

Dlatego że natura obdarzyła ją takim narzędziem do zdobywania pokarmu. Dzięki jadowi udaje się jej upolować mysz. Żmija nie porusza się tak szybko jak mysz i nigdy by jej nie dogoniła. Zaczaja się w zaroślach i czeka. Gdy ofiara zbliży się dostatecznie blisko, kąsa i wpuszcza do jej ciała jad. Nieszczęsna mysz bardzo szybko umiera i żmija może ją połknąć.

Ludzie opowiadają o żmijach mnóstwo bzdur, a to piękne i bardzo spokojne stworzenia. Nigdy na nas nie napadają, bo i po co miałyby to robić? Przecież nie połkną człowieka. Gryzą ludzi tylko w obronie życia, gdy na nie nadepniemy lub gdy czują się zagrożone.

Dlaczego koliber jest taki malutki jak motyl?

Koliber tak jak motyl spija nektar z kwiatów. Kolibry to najmniejsze ptaki na Ziemi. Żyją tam, gdzie kwiaty kwitną cały rok. Poza nektarem zdarza im się zjeść owada, który też musi być niewielkich rozmiarów. Najmniejszym z kolibrów jest żyjący na Kubie koliberek hawański. Waży mniej niż dwa gramy i rzeczywiście jest wielkości średniego motyla.

Dlaczego wiewiórka zakopuje orzechy w ziemi?

Robi w ten sposób zapasy. Nie zasypia na zimę, czyli nie wchodzi w stan hibernacji, więc musi zgromadzić dość pokarmu, aby przeżyć tę trudną porę roku. Nie wszystko zmieści się w dziupli, dlatego robi dodatkowe schowki na ciężkie czasy. Inne wiewiórki i ptaki chętnie kradną zakopany orzeszek, więc zdarza się, że wiewiórka najpierw udaje, że zakopuje, a potem ucieka w inne miejsce i dopiero tam chowa orzeszek.

Dlaczego bociany klekoczą?

To ich sposób porozumiewania się. Gdy wiosną wracają z Afryki, samce budują gniazda lub odnawiają stare i klekotem informują swoje żony: „Już gotowe, możesz składać jaja”.

Czy ptakom odrastają nowe pióra?

Tak samo jak nam włosy. Kiedy ptak zmienia pióra, mówimy, że się pierzy.

Czy zwierzęta mają linie papilarne?

Tylko te, które mają dłonie i stopy podobne do naszych. Małpy, małpiatki, lemury. Coś w rodzaju linii papilarnych mają także niedźwiedzie, szopy pracze, a nawet myszy.

Po co żuki toczą kulki?

Robi to tylko jeden żuk zwany skarabeuszem. To jego łacińska nazwa. Po polsku brzmi zupełnie inaczej: poświętnik pigularz. Para skarabeuszy lepi z nawozu, czyli kupy zwierząt roślinożernych, kulkę, którą toczy, popychając tylnymi nogami. Gdy znajdzie odpowiednio suche, bezpieczne miejsce, samiec – pan żuk kopie dołek, a samica – pani żuk wchodzi do

niego wraz z kulką. Formuje ją na kształt gruszki, a na samym szczycie znosi jajeczko. Gdy wylęgnie się zeń larwa, będzie miała co jeść, bo skarabeusze żywią się nawozem.

Dlaczego wieloryb nie ma zębów?

Wieloryby należą do rzędu waleni – ssaków, które całkowicie zrezygnowały z życia na lądzie i przeniosły się do wody. Walenie dzieli się na dwie duże grupy: zębowce i fiszbinowce. Tylko fiszbinowce nie mają zębów, a zamiast nich wystrzępione u dołu, rogowe płaty zwane fiszbinami. Działają jak filtr, dzięki któremu wieloryb może „odcedzić" z wody drobne skorupiaki i ryby. Nabiera do ogromnej paszczy wodę, wypuszcza przez fiszbiny i połyka to, co odfiltruje. Zębowce mają zęby, i to bardzo ostre. Należą do nich delfiny, orki, kaszaloty i wiele innych waleni. Fiszbinowce to finwale, sejwale, długopłetwiec, wieloryb biskajski i płetwale, a więc i największe zwierzę, jakie kiedykolwiek żyło na Ziemi – płetwal błękitny.

Dlaczego niektóre ryby wyskakują nad wodę?

Najczęściej dlatego, że uciekają przed inną, drapieżną rybą. Poza tym są ryby, które polują na owady, a wśród nich jest strzelczyk. Ale nie wyskakuje on z wody, aby złapać muchę. Gdy zobaczy na nadwodnej gałęzi smaczny kąsek, strzela weń wodą. Ten spada, a strzelczyk już go ma. W ciepłych morzach żyją ryby latające. Ich płetwy przypominają skrzydła. Potrafią nadać rybie dość długi lot ślizgowy i drapieżnik płynący pod powierzchnią wody traci rybiego lotnika z pola widzenia.

Po co kotu takie długie wąsy?

Nazywają się wibrysy. Są jak radary, czujniki wychwytujące z otoczenia najlżejsze drgania. Kot jest dalekowidzem i gdy ma złapać w trawie malutką ofiarę, pomagają mu w tym wibrysy. Wbrew pozorom wąsy nie służą do ocierania się. Kot ociera pyszczkiem, aby zostawić zapach potu z gruczołów, które tam ma.

Dlaczego strusie nie mogą latać?

Są zbyt ciężkie i mają zbyt słabe skrzydła. Lotki, czyli pióra odpowiedzialne za latanie, przekształciły się w ozdobny strój, bo latanie nie było strusiowi potrzebne. Co innego nogi. Są tak silne, że na pewno nie dogoniłbyś strusia. Ucieczka to jego główny sposób ratowania życia. Dzięki silnym nogom może też podjąć walkę. Kopnięcie w wykonaniu strusia może być śmiertelne nie tylko dla człowieka.

Dlaczego zwierzęta nie noszą ubrań?

Ubrania nie są im potrzebne. Mają sierść, pióra, łuski, mocną skórę. Każdy gatunek ma naturalne ubranie dostosowane do klimatu, w jakim żyje. Gdy jest zimno, gromadzi pod skórą warstwę tłuszczu, która odgrywa rolę ocieplacza. Ludzie ubierają się

nie tylko po to, aby ochronić ciało przed zimnem lub słońcem. Wstydzą się golizny. Zwierzęta nie mają takiego problemu.

Dlaczego trudno spotkać w lesie rysia?

Powodów jest kilka. Najsmutniejszy to ten, którego przyczyną jesteśmy my, ludzie. Polowania i niszczenie środowiska naturalnego zabiły większość tych pięknych kotów. Te, które zostały, panicznie boją się ludzi. Poza tym chętniej polują nocą, a my wtedy śpimy.

Po co pająki snują pajęczyny?

Pajęczyna to sieć, w którą pająki łapią swoje ofiary. Nie wszystkie pająki przędą sieci, ale wszystkie mają na końcu odwłoka gruczoły – kądziołki przędne. Ich wydzielina krzepnie na powietrzu i tworzy najmocniejszą ze znanych nici. Pajęczyna jest mocna i lepka, z łatwością wpadają w nią różne owady. Gdyby upleść z niej grubą jak ręka ludzka linę, można by powiesić nawet Pałac Kultury. Nie pękłaby. Pająki, które nie robią pajęczyny, używają swoich nici do

robienia kokonów – koszyczków na jajeczka, a są i takie, które polują, rzucając lasso.

Gdzie motyle spędzają zimę?

Część z nich ginie z głodu i zimna. Inne chowają się w zacisznych szparach pod korą drzew lub w innych kryjówkach. Być może śpią – hibernują – nawet w naszym domu. W naszym klimacie wszystkie owady muszą ukryć się przed zimnem i zasnąć. Zimowa łąka nie wykarmiłaby ich.

Czy zwierzęta umieją ze sobą rozmawiać?

Oczywiście. Każdy gatunek ma swój język, tak samo jak każdy ludzki naród. Nie posługują się naszym alfabetem, ale wypracowały mnóstwo innych języków. Porozumiewają się językiem ciała, czyli gestami, kolorami skóry, piór i łusek, zapachami i dźwiękami – jak my.

Dlaczego bóbr ma płaski ogon?

Płaski ogon bobra jest pokryty łuskami i nazywa się plusk lub kielnia. W wodzie pełni funkcję steru głębokości, a na lądzie służy jako podpora przy ścinaniu drzew. Żadne inne zwierzę nie ma takiego ogona jak bóbr.

Czy pingwiny mają płetwy, czy skrzydła?

Oczywiście, że skrzydła. Nie służą do latania, tylko do pływania i dlatego wyglądają trochę inaczej niż u gołębi.

Dlaczego gęsi chodzą gęsiego?

Nie zawsze. Często wcale tego nie robią. Chodzenie gęsiego praktykuje wiele społecznych gatunków. Najczęściej dlatego, że idą trasą sprawdzoną przez mądrego przewodnika, ale też dlatego, by ukryć liczebność swojej grupy. Chcą zmylić tego, kto mógłby im zagrozić. Bezpieczniej, aby myślał, że szedł tylko jeden osobnik. Najlepiej robią to wilki. Idą tropem „łapa w łapę", czyli każdy następny stawia łapę w tym miejscu, gdzie postawił pierwszy. Taki chód nazywamy sznurowaniem.

Dlaczego psy lubią lizać ludzi?

Dlatego, że skóra człowieka jest słona. Ludzie mają gruczoły potowe na całym ciele, a pot zawiera sporo soli i wodę. Gdy woda wyparuje, zostaje słony smak. Poza tym ludzie używają dużo kosmetyków. Większość z nich jest tłusta, a psom bardzo smakuje i sól, i tłuszcz.

Czy kot zawsze spada na cztery łapy?

Nie, nie zawsze. To ludzie wymyślili to powiedzenie. Bierze się stąd, że koty mają doskonały zmysł równowagi, umieją balansować na cienkiej gałęzi i świetnie skaczą. Ale bywa, że spadają wcale nie na cztery łapy. Upadek z dużej wysokości zawsze jest dla nich groźny.

Czy krokodyle polują na ludzi?

Polują na każdego,
kto zbliży się do
ich terytorium.
Są drapieżnikami i z takim
samym apetytem zjedzą
rybę, antylopę czy człowieka.

Dlaczego każdy człowiek jest inny?

To trudne pytanie, bo wiąże się z „wykładem" z genetyki – to nauka o dziedziczeniu, a ta z kolei mówi o tym, co w tobie jest podobne do mnie, a co do taty albo babci. W każdej komórce naszych, zwierzęcych i roślinnych ciał jest zapisane to, jacy jesteśmy. Jest to jak kod kreskowy na tym, co kupujemy w sklepie. Zamiast kresek mamy geny, a każdy z nich dokładnie opisuje każdą naszą cechę. Kolor oczu, włosów, skóry, wzrost i temperament. To, czy jesteśmy weseli, czy smutni. Czy lubimy się uczyć, czy śpiewać. Wszystko. Twoje geny pochodzą ode mnie i od taty. Moje od moich rodziców, a taty od jego rodziców. I dalej od dziadków, pradziadków, prapradziadków. Można powiedzieć, że nosisz w sobie cechy sprzed tysięcy lat. Są ich miliardy i nigdy nie wiadomo, które akurat odziedziczysz. I właśnie dlatego każde dziecko, nawet tych samych rodziców, będzie inne.

Kiedy zwierzęta stają się dorosłe?

Wtedy, gdy umieją już żyć na własny rachunek. Tak samo jak ludzie. Jest jeszcze jedna cecha warunkująca dorosłość. Dorosły człowiek i dorosłe zwierzę może mieć dzieci, którymi umie się zaopiekować.

Dlaczego ludzie i zwierzęta umierają?

Każde stworzenie, które się urodzi, musi kiedyś umrzeć. Nie ma w tym nic nadzwyczajnego ani strasznego. Najlepiej jest, gdy umieramy ze starości. Wszyscy ludzie i wszystkie zwierzęta mają swój biologiczny kalendarz i biologiczną wydolność narządów. Tak jak w starym zegarku zacierają

MRUCZEK

się trybiki i mogą stanąć w miejscu, tak w żywym ciele też zużywają się jego narządy. W pewnym momencie przestają działać i umieramy. To normalny los każdej żywej istoty. Gorzej, gdy umieramy z powodu nieuleczalnej choroby lub w wyniku tragicznego wypadku. Dlatego trzeba uważać na swoje zdrowie i bezpieczeństwo.

Znajdź zwierzę, które Cię interesuje, i przeczytaj o jego sekretach na podanych stronach.

Wydanie pierwsze

Konsultacja psychologiczna
Aleksandra Piotrowska

Opieka redakcyjna
Waldemar Popek

Redakcja
Maria Rola

Korekta
Kamil Bogusiewicz, Anna Dobosz, Aneta Tkaczyk

Projekt okładki, układ typograficzny
Joanna Żero

Redakcja techniczna
Bożena Korbut

Printed in Poland
Wydawnictwo Literackie Sp. z o.o., 2015
ul. Długa 1, 31-147 Kraków
bezpłatna linia telefoniczna: 800 42 10 40
księgarnia internetowa: www.wydawnictwoliterackie.pl
e-mail: ksiegarnia@wydawnictwoliterackie.pl
fax: (+48) 12 430 00 96
tel.: (+48) 12 619 27 70
Skład i łamanie: Piotr Kołodziej
Druk i oprawa: Drukarnia POZKAL

ISBN 978-83-08-05421-5